D0494072

Princesse Alice
et le Miroir Magique

Cet ouvrage a initialement paru en langue anglaise en 2005
chez Orchard Books sous le titre :
The Tiara Club
Princess Alice and the Magical Mirror.
© Vivian French 2005 pour le texte.
© Sarah Gibb 2005 pour les illustrations.

© Hachette Livre 2006 pour la présente édition.

Adapté de l'anglais par Natacha Godeau

Conception graphique et colorisation : Lorette Mayon

Hachette Livre, 58, rue Jean Bleuzen, 92178 Vanves Cedex

Vivian French

PRINCESSE
Academy

Princesse Alice
et le Miroir Magique

Illustrations de Sarah Gibb

hachette
JEUNESSE

PRINCESSE
Academy

Institution
pour Princesses Modèles

Devise de l'école :

Une Princesse Modèle
est honnête, aimable
et attentionnée .
Le bien-être des autres
est sa priorité.

Nous dispensons un enseignement complet, incluant des cours :

- De Dragonologie
- De Haute-Couture Royale
- De Cuisine Fine
- De Sortilèges Appliqués
- De Vœux Bien Choisis
- De Maintien et d'Élégance

Notre directrice, la Reine Gloriana, assure une présence permanente dans les locaux. Nos élèves sont placées sous la surveillance de Marraine Fée, enchanteresse et intendante de l'établissement.

Parmi nos intervenants extérieurs :

- Le Roi Perceval
(expert ès dragons)

- La Reine Mère Matilda
(Maintien et Bonnes Manières)

- Lady Victoria
(Organisation de banquets)

- La Grande-Duchesse Délia
(Stylisme)

Les princesses reçoivent
des Points Diadème afin de passer
dans la classe supérieure.
Celles qui cumulent assez de points la
première année accèdent
au Club du Diadème, et se voient
attribuer le diadème d'argent.
Les membres du Club rejoignent alors
en deuxième année
les Tours d'Argent,
notre enseignement secondaire
pour Princesses Modèles,
afin d'y parfaire leur éducation.

*Le jour de la rentrée,
chaque princesse est priée
de se présenter à l'Académie
munie d'un minimum de :*

· Vingt robes de bal, dessous assortis
· Cinq paires de souliers de bal
· Douze tenues de jour
· Trois paires de pantoufles de velours
· Sept robes de cocktail
· Deux paires de bottes d'équitation
· Douze diadèmes, capes,
manchons, étoles, gants,
et autres accessoires indispensables.

Coucou !
J'avais hâte que tu me rejoignes ! Toi au moins,
tu n'es pas comme Princesse Perfecta
et Princesse Flora, les deux pires pestes
de l'école ! Ma grande sœur dit
que Perfecta est vexée. Elle n'a pas obtenu
assez de Points Diadème pour entrer
au Club du Diadème, l'année dernière,
et elle a redoublé… Pauvres de nous !
Au fait, je suis Princesse Alice.
Je suis à la Princesse Academy pour devenir
une Princesse Modèle. Mais ce n'est pas facile !
Sans mes amies Charlotte, Katie, Émilie, Daisy
et Sophie, avec lesquelles je partage
la Chambre des Roses, je n'y arriverais jamais !

Mais tu es d'accord, on ne peut pas toujours
tout réussir non plus…

À la Princesse Alice de chez Orchard,
avec toute mon affection, V. F.

À Alan, Lucy et Steph, S. G.

Chapitre premier

As-tu déjà assisté à une fête en plein air ?

La Princesse Academy en organise une chaque trimestre, dans son parc.

D'après ma grande sœur, c'est fantastique ! Les élèves portent pour l'occasion leur plus jolie robe, et leur diadème le plus précieux.

Il y a un orchestre aussi, des ontaines de limonade, et des centaines de fleurs partout !

En plus, nos familles sont invitées ; comme ça, elles peuvent constater que nous devenons de vraies Princesses Modèles… Et si la pluie menace, Marraine Fée utilise ses pouvoirs pour garder un soleil radieux au-dessus de nos têtes. Merveilleux, non ?

Enfin, ce jour-là, Marraine Fée dévoile le Miroir Magique de l'école…

Et il est vraiment magique, ce miroir !

Ma grande sœur m'a fait promettre de ne révéler à personne ce qu'il fait, parce que c'est une surprise.

Mais toi, tu ne le répéteras pas ! Alors voilà…

Le jour de la réception, nous nous mettons toutes sur notre trente et un, puis nous nous rendons au bureau de Marraine Fée.

Là, nous recevons l'autorisation exceptionnelle de nous incliner devant notre reflet. Le Miroir Magique juge les Princesses Modèles, et il leur décerne des Points

Diadème ! Il peut en accorder jusqu'à trois cents ; c'est énorme, d'ailleurs. Personne n'en a encore jamais reçu autant…

Tu comprends maintenant pourquoi j'attends la fête avec tant d'impatience !

Mais, bien sûr, il y a aussi un mauvais côté…

Un tel événement demande une préparation intensive !

Nous avons plein de cours en plus : des cours de Révérence, de Prestance, de Danse…

Tu imagines : des dizaines de nouveaux pas compliqués à étudier !

Mais ouf ! Nous sommes aujourd'hui à la veille de la fête, et nos robes de bal s'alignent sur la tringle, dans la Chambre des Roses, fin prêtes pour le lendemain.

La mienne est si belle ! Je n'arrive pas à y croire ! Tout en satin rose pâle rebrodé de minuscules fleurs blanches, avec tellement de jupons de soie qu'ils froufroutent au moindre mouvement.

Quant à nos diadèmes, ils attendent sur nos chevets, scintillant de mille feux, sur de petits coussins de velours bleu.

Oui, tout serait absolument parfait… sans la Reine Mère Matilda, notre professeur de Maintien et Bonnes Manières !

Hier, nous
avons toutes les
six échoué à notre
examen final de Maintien
et d'Élégance. Surtout moi !

La Reine Mère est entrée dans
une de ces fureurs ! Elle nous a
ordonné de nous entraîner sans
répit !

— Je vous avertis, a-t-elle menacé. Soit vous descendez avec grâce et dignité cet escalier demain, soit vous êtes privées de fête !

Sur quoi, elle nous a jeté un regard furieux, et puis elle est partie.

Du coup, nous avons obéi. Nous nous sommes entraînées, et entraînées encore… sans rien améliorer du tout !

Alors, aujourd'hui, je meurs d'inquiétude : si la Reine Mère Matilda n'est pas satisfaite, nous n'irons pas à la fête… et nous manquerons le Miroir Magique !

En attendant l'heure de son cours, avec mes amies, nous reprenons donc l'entraînement dans le Grand Escalier.

Nous le montons et le redescendons au moins cent fois !

— Mes pauvres pieds ! gémit Charlotte.

— Courage ! sourit Katie. On va y arriver…

Moi, j'en doute ! Je soupire :

— Aucune chance ! Je n'arrête pas de trébucher !

— Redressez le dos, redressez la tête, inspirez à fond, souriez ! récitent Daisy et Émilie à l'unisson.

— Et n'oubliez pas la révérence, à l'avant-dernière marche, ajoute Sophie.

Nous maugréons, fatiguées d'avance, lorsque tout à coup, les méchantes princesses Perfecta et Flora passent dans le corridor.

— Oh, regarde ça, Flora, persifle aussitôt Perfecta. Les six fainéantes de la Chambre des Roses !

— Oui, je vois ! soupire la princesse avec pitié. Quelle honte, pour notre école ! Là où elles sont les plus douées, c'est pour tomber dans les escaliers !

Et les deux pestes s'éloignent en ricanant exprès très fort.

Faisant semblant de ne pas les entendre, je jette un coup d'œil machinal par la fenêtre…

Dehors, le soleil brille. Dolly, Molly et Polly, les trois aides de cuisine, s'affairent les bras chargés de roses, de lis et de marguerites.

D'habitude, elles ne s'occupent que des repas, sous la direction de Miss Greta, la cuisinière en chef. Mais aujourd'hui, elles préparent la fête.

Elles décorent la cour et l'allée principale de l'Académie en disposant d'immenses pots de fleurs partout !

— Elles ont de la chance, elles, au moins…, dis-je à Émilie. Elles n'ont pas à descendre avec élégance cet horrible escalier !

Mon amie fait la moue. Elle remarque :

— Peut-être… mais elles ont Miss Greta sur le dos à longueur de journée !

C'est vrai : la cuisinière en chef est horriblement sévère et autoritaire.

Polly a posé une jarre à un mauvais endroit, et Miss Greta est déjà en train de trépigner de colère et de hurler.

Polly se retient de pleurer, en changeant le pot de place. Et elle a du mal, parce qu'il pèse très lourd.

Soudain, elle lève la tête vers la fenêtre. En m'apercevant, derrière le carreau, elle se force à sourire, gênée.

J'essaie alors de la consoler. Avec de grands gestes ridicules, j'imite Miss Greta, pour la faire rire…

Grossière erreur !

Polly s'esclaffe tellement qu'elle en lâche la jarre ! Elle se brise en mille morceaux, les fleurs se répandent par terre…

Mais, tout à coup, je sursaute !

— À nous, mesdemoiselles ! aboie la Reine Mère Matilda en arrivant dans mon dos. Montrez-moi enfin comment vous descendez cet escalier !

Chapitre deux

Que faire ?!

C'est quand même ma faute, si Polly a lâché le pot de fleurs, je devrais courir l'aider ! Seulement, la Reine Mère attend au pied de l'escalier, l'air peu aimable…

En un éclair, je prends ma décision : je descendrai d'abord l'escalier avec l'élégance d'une ballerine, puis je foncerai dehors tout expliquer à Miss Greta !

— Pardon, Charlotte, dis-je en me faufilant devant mes amies. Je dois passer la première, j'ai fait une bêtise que je dois réparer !

Je me récite tout bas :

— Tête haute, dos droit, sourire !

J'inspire à fond, et je m'élance !

Mais, malgré ma bonne volonté, je trébuche, je dégringole les marches, et j'atterris à quatre pattes… aux pieds de la Reine Matilda !

— Quelle grâce ! se moque mon professeur. Êtes-vous blessée ?

Je bredouille :

— Non, Votre Majesté, mais… excusez-moi, c'est une urgence !

Et je traverse comme une flèche le hall marbré.

Je sors dans la cour d'honneur, où Molly et Dolly pleurent à chaudes larmes, près de la jarre brisée.

— Où est Miss Greta ? je demande en haletant.

Molly renifle bruyamment.

— Elle s'est enfermée dans la cuisine ! Elle est dans une fureur noire, elle a envoyé Polly frotter l'argenterie ! Si nous ne remplaçons pas les fleurs avant six heures ce soir, nous serons punies le jour de la fête !

Je me sens tellement coupable !

Pour moi, la fête, c'est sûrement fichu maintenant, après ma chute dans l'escalier...

Mais pour Molly, Dolly et Polly, c'est trop injuste !

Je commence donc à ramasser les fleurs, quand Molly m'arrête :

— Non, Princesse Alice ! Vous allez avoir des problèmes ; les élèves n'ont pas le droit de venir au jardin avant demain !

Et ça, ça me donne une idée, brusquement !

Vite, je me rue à l'appentis, où Polly est punie.

Après bien des efforts, je la

convaincs enfin d'échanger nos
vêtements.

— Comme ça, je pourrai
aider Dolly et Molly sans risque !
Ensuite, j'irai dire à Miss Greta

que cette histoire de pot de fleurs est de ma faute.

— Vous étiez si drôle, à la fenêtre, glousse Polly en enfilant mes habits. Je vous promets de prendre soin de votre robe !

— Moi aussi, dis-je en nouant son tablier à ma taille.

Puis, je retourne dare-dare dans la cour d'honneur, où Dolly et Molly s'exclament, stupéfaites :

— Ça alors ! Vous vous ressemblez vraiment, avec Polly !

Quel travail interminable, il faut tout nettoyer ! La jarre cassée s'est éparpillée en mille morceaux…

Nous récupérons quelques
fleurs pas trop abîmées. Mais il

en manque, et Dolly nous rappelle que nous ne pouvons en cueillir sans la permission du jardinier en chef.

— Vous voyez, Princesse Alice, soupire Molly. C'était perdu d'avance… Et il est déjà cinq heures et demie !

Nous nous désespérons ensemble, lorsque soudain, j'ai une deuxième idée de génie !

— Prélevons juste une ou deux fleurs dans les autres pots ! Personne n'y verra rien, et nous referons un beau bouquet !

Cette fois, ça ne prend pas longtemps, tu peux me croire !

Nous remplissons la nouvelle jarre que Dolly a trouvée dans la remise, et le résultat est magnifique.

Impossible de deviner qu'il y a eu un accident !

J'applaudis :

— Victoire ! Il ne me reste

plus qu'à récupérer mes vêtements !

Molly et Dolly m'accompa-
gnent à l'appentis. J'espère que
Polly n'est pas trop fatiguée,
avec toute l'argenterie du palais
à astiquer…

Nous poussons la porte.

J'aperçois tout un tas de cou-
verts rutilants, sur la table, et je
réprime un cri :

Polly est partie !

Chapitre trois

Je n'arrive pas à y croire !

Molly court vérifier dans la chambre de Polly, et Dolly se précipite à la cuisine.

— Elle n'y est pas, déplore Molly en revenant presque aussitôt.

Au même instant, Miss Greta
fait irruption dans la pièce, une
grosse louche à la main.

Derrière elle, Dolly, le teint livide, tremble comme une feuille.

Mon cœur bat la chamade.

En princesse digne de ce nom, je décide de l'ignorer. Je redresse le menton, et je lance :

— Je suis Princesse Alice et je suis désolée, car c'est ma faute si Polly a lâché le pot de fleurs et...

— Pardon ? m'interrompt la cuisinière d'une voix de stentor. Je ne comprends rien à ce charabia !

L'école entière a dû l'entendre ! J'inspire profondément, puis j'insiste :

— Je faisais des grimaces à la fenêtre, et…

— Polly Jefferson ! rugit alors Miss Greta. Vous m'avez causé assez de soucis pour aujourd'hui, il me semble ! Dolly m'a raconté

je ne sais quelle bêtise, à propos
de la jarre brisée. Cela suffit !

Là-dessus, elle me saisit par le
bras et m'entraîne dans la cour
d'honneur, où nous accom-
pagnent Molly et Dolly.

Elle ouvre la porte du jardin avec colère, et s'immobilise.

— Par mon rouleau à pâtisserie ! souffle-t-elle, sidérée devant les pots de fleurs parfaitement arrangés.

Je hoche la tête, retenant un petit sourire, et annonce :

— Bon, je vais chercher Polly !

Mais Miss Greta se tourne brusquement vers moi.

Elle me fusille du regard, et je sens mon estomac se nouer…

— Cessez ce petit jeu, mademoiselle ! menace-t-elle. La décoration florale est en ordre, l'argenterie aussi. Je n'ai qu'une parole : vous assisterez donc toutes les trois à la fête. Mais je ne veux plus vous entendre parler d'aller vous chercher vous-même !

Sur quoi, elle regagne la cuisine d'un pas ferme en nous ordonnant de la suivre.

— Molly, Dolly..., je bredouille, perdue. Pour vous, je suis qui ?

— Princesse Alice, bien sûr ! N'est-ce pas, Dolly ?

— Oui, même s'il ne faut jamais contrarier Miss Greta !

Je m'apprête à rétorquer...

quand cette dernière s'épou-
mone, depuis la cuisine.

Ni une, ni deux, nous entrons
dans la salle surchauffée, à l'at-
mosphère lourde de vapeur, à
cause des casseroles bouillantes.

Je roule des yeux comme des soucoupes : quelle soupière gigantesque, là, sur le fourneau !

— Dépêchons, mesdemoiselles ! commande la cuisinière.

Cinquante princesses affamées attendent leur dîner ! Molly, sortez les bols ! Dolly, les cuillères ! Polly, le pain !

Son ton est catégorique : nous avons intérêt à obéir… et voici que je m'applique à couper de belles tranches de pain !

À la fin, Miss Greta approche de la table.

— Mille beignets ! grogne-t-elle. Où avez-vous l'esprit, Polly ? Ces tranches sont trop épaisses, vous savez que les princesses les aiment fines !

Je m'égosille :

— Non, c'est faux !

Je m'en veux.

Mais je n'en peux plus ; je me suis écorché le doigt deux fois, et recommencer est au-dessus de mes forces !

Je n'ai plus qu'une solution : m'enfuir… Seulement, que deviendrait la vraie Polly, après ?

— Vous prétendez connaître mieux que moi les goûts des princesses ? rugit alors la cuisinière en chef, hors d'elle.

Elle jette une seconde miche de pain géante sur la table et ajoute :

— Recommencez ! Je veux des tranches si fines qu'on y voie à travers ! Le travail ne vous fait pourtant pas peur, d'habitude !

Je ravale mes larmes juste à temps.

Si Polly n'a pas peur du travail, eh bien, moi non plus !

— Tout de suite, Miss Greta, dis-je les mâchoires serrées.

Après tout, une Princesse Modèle est courageuse ; je reprends mon couteau…

Toc, toc ! On frappe à la porte !

Dolly court ouvrir, et devine qui entre ?

Mes amies !

Mes cinq meilleures amies du

monde qui, tout sourires…
cachent Polly derrière elles !

Chapitre quatre

As-tu déjà essayé de serrer dans tes bras plusieurs personnes à la fois ?

C'est plutôt compliqué… surtout lorsqu'une cuisinière de mauvaise humeur ne comprend pas ce qui se passe !

Miss Greta ne tarde pas à pousser l'un de ses grognements dont elle a le secret.

— Quelqu'un aura-t-il l'amabilité de m'expliquer pourquoi

mon office est envahi de princesses ?! se fâche-t-elle.

Sophie s'incline devant elle
avec élégance. Elle susurre de sa
voix douce :

— Pardonnez notre intrusion, chère Miss Greta. Nous souhaitions vous remercier de nous régaler ainsi chaque jour ! Nous adorons vos fabuleux rôtis, vos croque-monsieur et vos pizzas !

— Oui, enchaîne Charlotte. Ce sont de purs délices.

Tout en parlant, elle me désigne discrètement Polly qui, dissimulée dans un coin, me fait signe, un doigt sur les lèvres, de la rejoindre en silence.

Et tandis que mes amies Sophie, Charlotte, Daisy, Katie et Émilie continuent de flatter Miss Greta, Polly et moi nous

éclipsons dans l'appentis atte-
nant.

— Merci, Princesse Alice ! chu-
chote Polly alors que nous récupérons vite chacune nos vêtements. Vous m'avez sauvée !

Je rouspète :

— Mais où étiez-vous ? J'ai cru
que je ne sortirais jamais de cette
cuisine, et je suis nulle, pour couper le pain !

— J'ai terminé ma punition
avant vous, répond la fillette,
l'œil brillant de malice. J'en ai
profité pour aller voir de près
votre Grand Escalier, il est si
majestueux ! Et là, la Reine Mère

Matilda piquait une colère horrible parce que vous n'étiez pas revenue !

— Oh, misère…

— Non, rassurez-vous ! En m'apercevant, la Reine Mère m'a prise pour vous ! Et Princesse Daisy m'a confié qu'elle vous laissait une seconde chance, car vous étiez la seule à avoir échoué à l'examen de rattrapage.

— Je serai donc la seule à ne pas aller à la fête, demain…, dis-je dans un sanglot.

Mais Polly secoue la tête en souriant.

— Au contraire, Princesse ! J'ai descendu l'escalier à votre placc, et j'ai réussi ! Votre professeur vous a accordé dix Points Diadème !

— Polly a été excellente ! renchérit Charlotte qui vient d'entrer.

J'éprouve un sentiment bizarre…

Après un premier instant de bonheur, voici que ma conscience me titille un peu : la Reine Mère a été trompée, n'est-ce pas ? On lui a menti, et donc, j'ai triché !

Le pire, c'est que Polly a l'air si heureux de sa surprise !

Je suis bien obligée de la remercier, mais j'ai du mal à paraître sincère…

— Cela m'a fait plaisir, Princesse Alice ! rétorque-t-elle. En tout cas, je suis bien contente de ne pas être une princesse… Je détesterais passer mon temps à étudier le Maintien et l'Élégance !

Sur quoi, l'heure du dîner sonne, et elle repart à la cuisine en agitant la main vers nous.

Avec mes compagnes de la Chambre des Roses, nous retournons dans le Grand Hall, direction le réfectoire.

Peu importe ma fatigue : je vais finalement participer à la fête… et consulter le Miroir Magique !

Tant mieux, seulement…

« Une Princesse Modèle ne triche jamais ! », répète une petite voix dans ma tête…

Chapitre cinq

Une Princesse Modèle ne triche jamais !

Je n'ai pas fermé l'œil de la nuit.

Et en m'habillant ce matin pour la fête, je peux à peine respirer.

Charlotte prétend que c'est le trac, avec nos beaux atours et tout… mais moi, je sais parfaitement que ça n'a rien à voir avec ça.

Je tremble de partout, parce que j'ai conscience de mes responsabilités, si je veux mériter un jour de devenir Princesse Modèle !

Et ce n'est pas simple, tu peux me croire…

Ma robe est une merveille ! Les jupons de soie froufroutent, bruissent et virevoltent à la perfection.

Ensuite, nous nous coiffons les unes les autres, en fixant nos diadèmes avec soin, avant de nous rendre enfin au bureau de Marraine Fée…

Perfecta et Flora en sortent justement.

— J'aurais dû obtenir plus de Points Diadème que toi ! fulmine Perfecta.

— Mais nous n'en avons qu'un de différence ! soupire Flora.

À cet instant, Perfecta remarque que nous les écoutons.

Elle rougit. Folle de rage, elle ordonne à sa complice de se taire, puis elles s'éloignent rapidement.

C'est avec nervosité que nous frappons chez l'enchanteresse… moi en particulier : je frissonne comme si j'avais de la fièvre !

La porte s'ouvre seule et, de sa grosse voix, Marraine Fée lance :

— Entrez !

Notre intendante est resplendissante !

Elle ne se met sur son trente et un qu'en de rares occasions…

Elle porte une robe extraordinaire, parsemée d'une multitude de roses d'or. Sa longue cape de velours vert est brodée de papillons d'argent, dont les ailes s'agitent au rythme de ses mouvements !

On voit tout de suite qu'elle est une Fée de premier ordre !

Impressionnées, nous ne pouvons nous empêcher de la saluer chacune d'une respectueuse révérence.

Enchantée, elle rit fort et lâche :

— Eh bien, chères princesses de la Chambre des Roses. Comment souhaitez-vous vous présenter au Miroir Magique ? Une par une, ou...

— Ensemble ! jetons-nous à l'unisson.

Marraine Fée s'esclaffe à nouveau, agite sa baguette magique...

Et soudain, sur un pan de mur entier, les étagères qui croulent de pots, fioles et autres bouquets d'herbes disparaissent !

À la place, surgit d'on ne sait où un immense miroir encadré d'étranges ramures tarabiscotées...

Nous nous y reflétons en rang d'oignons, en nous tenant par la main avec anxiété.

— Êtes-vous prêtes, princesses ? demande l'intendante.

Je déglutis avec peine et balbu-
tie :

— Heu... J'ai une déclaration
à faire, si vous le permettez...

J'avance d'un pas chancelant.

Mes amies me dévisagent curieusement.

— En vérité, ce n'est pas moi qui ai réussi l'examen de Maintien et d'Élégance. Je n'ai pas le droit d'être ici aujourd'hui…

Là, je me retiens de pleurer, puis je poursuis :

— Je suis désolée de ne pas l'avoir avoué plus tôt, mais je voulais tellement essayer ma robe, même juste pour ce matin ! Alors, maintenant, je retourne au dortoir et…

— Restez ici ! m'intime Marraine Fée d'un ton sans appel.

Incroyable ! Elle me sourit !

— Princesse Alice, il appartient
au Miroir Magique de décider de
votre sort !

Elle brandit encore sa baguette, et des milliers de minus-

cules étoiles étincelantes emplissent la pièce : il pleut de la poussière de fée sur nos épaules et nos cheveux !

Nous nous contemplons dans la glace, lorsqu'une voix irréelle, au timbre envoûtant, s'élève des profondeurs du Miroir.

Nous écoutons, subjuguées…

— Félicitations, Princesse Alice. L'honnêteté est une vertu essentielle ! Mais sachez aussi que l'erreur est humaine, même pour une Princesse Modèle !

La voix observe une courte pause. Elle glousse, semble-t-il…

—Je dois d'ailleurs reconnaître

que vous me divertissez beau-
coup, toutes les six ! ajoute-t-elle.

Et l'espace d'une seconde, le
Miroir Magique nous montre
dans l'escalier, la veille.

Vue ainsi, la scène est assez
comique, en effet : je dégringole

les marches jusqu'aux pieds de la Reine Mère horrifiée, et mes amies écarquillent les yeux, effa-rées !

— Hum ! tousse alors l'enchan-teresse de l'école.

Vite, le miroir efface l'image, et notre reflet réapparaît.

— Je ne voulais pas vous cho-quer, Marraine Fée ! s'amuse la voix magique. Voyons, où en étions-nous ? Ah oui, mon évalua-tion…

La voix prend alors une pro-fonde inspiration et déclare d'une traite :

— Princesses Alice, Katie, Émilie, Charlotte, Daisy et Sophie : j'ai l'honneur de vous accorder trois cents Points Diadème à partager entre vous six… ainsi que l'autorisation d'assister toutes ensemble à la fête !

Chapitre six

La fête en plein air a été formidable !

Et tu ne le croiras jamais : j'étais si heureuse que j'ai descendu le Grand Escalier avec une grâce digne des plus élégantes princesses !

La décoration florale était absolument grandiose.

Nous avons dansé, et dansé, sur les valses interprétées par l'orchestre.

Mon grand-père s'est laissé entraîner par l'enthousiasme : il était si heureux, en apprenant pour mes cinquante Points Diadème du Miroir Magique, qu'il a

manqué m'envoyer tournoyer dans la fontaine de limonade !

Par chance, ma grand-mère veillait : elle m'a rattrapée juste à temps !

Et puis, le soir est arrivé…

Nous venons de nous coucher, dans la Chambre des Roses.

Du fond de mon lit, je supplie une fois encore mes amies de repartager les Points Diadème : elles en méritent plus que moi !

Mais, une fois encore, elles refusent en chœur.

— Une pour toutes, et toutes pour une ! rappelle Sophie dans un bâillement. Nous aurons chacune assez de points pour être acceptée au Club du Diadème. Nous y entrerons ensemble, et ce sera fantastique !

Blottie sous mes draps, je souris largement.

Avant de m'endormir, j'envoie de la main un baiser à ma chère Sophie...

...et un baiser à toi aussi !

FIN

Que se passe-t-il ensuite ?
Pour le savoir, tourne vite la page !

L'aventure continue
à la Princesse Academy
avec Princesse Sophie !

Coucou, c'est moi, Princesse Sophie !
Quelle effervescence à la Princesse Academy !
C'est notre premier cours de Haute-Couture Royale
et nous devons créer nos robes de bal pour la Féerie
Surprise. Mais Perfecta réussit une nouvelle
fois à tout gâcher. Heureusement, je suis
bien décidée à ne pas me laisser faire !

**Pour connaître la date de parution de ce tome,
inscris-toi à la newsletter du site :
www.bibliotheque-rose.com**

Les as-tu tous lus ?

Retrouve toutes les histoires de la Princesse Academy

Princesse Charlotte
ouvre le bal

Princesse Katie
fait un vœu

Princesse Daisy
a du courage

Princesse Alice
et le Miroir Magique

Princesse Sophie
ne se laisse pas faire

Princesse Émilie
et l'apprentie fée

Saison 2 : les Tours d'Argent

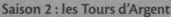

Princesse Charlotte
et la Rose Enchantée

Princesse Katie
et le Balai Dansant

Princesse Daisy
et le Carrousel Fabuleux

Princesse Alice
et la Pantoufle de Verre

Princesse Sophie
et le bal du Prince

Princesse Émilie
et l'Étoile des Souhaits